'IMAGERIE AN

D'AUSTRALIE
LES ANIMAUX

Conception et texte
Émilie BEAUMONT

Images
M.I.A. : Betti FERRERO

FLEURUS

FLEURUS ÉDITIONS, 15-27, rue Moussorgski, 75018 PARIS
www.fleuruseditions.com

LES KANGOUROUS

Ils font partie de la grande famille des marsupiaux, dont la majorité vit en Australie. Ces animaux se distinguent par leur mode de reproduction : les petits, qui sont des larves à la naissance, se développent dans une poche située sur le ventre de la femelle. Il en existe plusieurs espèces. Le plus grand est le kangourou roux, qui peut atteindre 2 m. Il a de puissantes pattes postérieures qui lui permettent de se propulser à plus de 50 km/h. Un mâle peut faire des bonds de 9 m de long. Les kangourous sont l'emblème de l'Australie.

Le kangourou arboricole

Il ressemble aux autres kangourou mais il a une queue beaucoup plus longue et des griffes impressionnante sur ses pattes avant. Il grimpe dans les arbres pour manger des feuilles ou pour échapper à une meute de dingo. Il se sert de ses griffe puissantes pour s'agripper au tronc.

Le kangourou roux

Le mâle a un pelage qui va du roux au rouge. La femelle est plutô gris-bleu. Cet animal est l'un des seuls à adopter la station debout, grâce à sa queue musclée qui lui sert de trépied à l'arrêt. C'est un herbivore au féroce appétit. Sa dentition est composée d'incisives développées qui lui permettent de couper les végétaux les plus coriaces.

Face à face

Les mâles se battent entre eux pour marquer leur supériorité dans un groupe u à cause d'une femelle. Avant le combat, ils se grattent et se rapprochent. Chacun ente de déséquilibrer son rival ; il lui donne des coups de pied dans le ventre et essaie de le blesser avec ses griffes.

Des petits et des grands

Il y a des dizaines d'espèces de kangourous : les rats-kangourous, de petite taille, les kangourous (les plus grands), et les wallabies (plus petits). D'après les spécialistes, le rat-kangourou serait l'ancêtre des kangourous.

Rat-kangourou.

Chez certaines espèces, les femelles s'accouplent dès qu'elles mettent bas. L'œuf fécondé attend que la poche ventrale soit libérée ; ainsi, pas de temps perdu ! Le jeune kangourou quitte la poche au bout d'un an. S'il veut y retourner, sa mère le chasse : il faut laisser la place aux autres !

Bien au chaud dans la poche

Une trentaine de jours après l'accouplement, la femelle kangourou se prépare à mettre bas. Elle appuie son dos contre un arbre, étend ses pattes et incline son corps en avant. La larve, qui pèse moins d'1 g, se débrouille seule pour aller du sexe de sa maman à sa poche ventrale où elle se met immédiatement à téter.

7

LE KOALA

Cet adorable animal a une grosse tête toute ronde surmontée de grandes oreilles et un nez bien visible dépourvu de poils, dont l'aspect fait penser à du cuir. Le plus grand koala peut mesurer jusqu'à 80 cm de long. La femelle est beaucoup plus légère : elle pèse environ la moitié du poids d'un mâle. En général, le koala vit seul ; c'est très rare d'en voir plusieurs se déplacer en bandes, mais les mères gardent leur petit avec elles pendant au moins 1 an. Les koalas vivent uniquement dans les grandes forêts d'eucalyptus.

Les ennemis du koala

Le plus grand est le dingo qui s'attaque surtout aux koalas âgés, malades ou à ceux qui se retrouvent sur le sol pour changer d'habitat. L'aigle est aussi leur ennemi ; il s'empare surtout des jeunes. Les feux de forêt sont meurtriers pour les koalas. Ils sont violents et laissent peu de chances à l'animal, trop lent pour s'en sortir.

Le bébé koala

Quand le minuscule bébé naît, il ne pèse que 0,5 g. Il est nu et presque transparent : c'est une petite larve qui se fraie tout de suite un chemin du sexe de sa maman vers la poche ventrale, à la recherche du mamelon auquel elle s'accroche pour s'alimenter. Bébé va rester ainsi pendant quelques semaines, le temps de grossir. À 6 mois, il a sa belle fourrure et commence à sortir de la poche. Vers 7 mois, il s'agrippe au dos de sa mère et se nourrit d'une espèce de bouillie de feuilles que sa mère éjecte de son anus ! À partir de 8 mois, il se nourrit, comme sa maman, de feuilles d'eucalyptus.

Des feuilles, rien que des feuilles

Le koala se nourrit exclusivement
de feuilles et de pousses d'eucalyptus.
Il en mange environ 500 g par jour.
Cette alimentation ne lui apporte
pas beaucoup d'énergie,
c'est pour cela qu'il se déplace
lentement et qu'il peut dormir
jusqu'à 16 heures par jour.

Des mains pour s'agripper

Leurs pattes avant se terminent
par des mains très puissantes
5 doigts munis de longues griffes
acérées. Leurs pattes arrière ont
es deuxième et troisième doigts
soudés, ce qui fait une sorte
de peigne utile pour se nettoyer.

*Ce koala est albinos,
son pelage et sa peau
ne sont pas colorés.
Il est plus fragile.que
les autres. Il ne peut pas
s'exposer aux rayons
du soleil et il est plus
facilement repéré
par ses ennemis.
Autrefois, les koalas
blancs étaient vénérés et
considérés comme des
messagers des dieux.*

9

D'AUTRES MARSUPIAUX

L'écureuil volant ▶

Il mesure environ 90 cm de long, dont 45 cm de queue. Il vit dans les arbres des forêts tropicales. Il est capable de parcourir une distance de 100 m lors de ses sauts pour passer d'arbre en arbre. La femelle met bas un seul petit qui reste dans sa poche ventrale pendant 4 mois environ. Cet écureuil se nourrit de feuilles, de fleurs et d'insectes.

Le numbat ▼

Ce bel animal qui mesure environ 25 cm (dont 17 cm de queue) passe toute sa journée à essayer de trouver sa nourriture préférée : les termites. Il renifle le sol à la recherche des galeries creusées par ces insectes. Dès qu'il en a détecté une, il creuse un trou à l'aide de ses pattes et y introduit sa langue pour récupérer cette précieuse nourriture.

La souris à miel ▶

Ce n'est pas vraiment une souris c'est un petit marsupial de moir de 10 cm de long. Dans sa poch ventrale, elle élève 3 ou 4 petit Elle se nourrit uniqueme de nectar et de graines de polle qu'elle prélève dans les fleu grâce à son museau point et à sa langue très longu

La taupe marsupiale ▼

Cette taupe creuse sans arrêt des galerie à l'aide de ses griffes longues et aplaties L'extrémité de son museau est protégé par une sorte de bouclier corné. Ses narine sont de simples petites fentes. Elle n'a pa d'yeux et ses oreilles sont réduites à u conduit auriculaire caché dans sa fourrure

Le couscous tacheté ▼

Cet étrange animal est difficile à apercevoir. Il reste immobile toute la journée en haut d'un arbre ou dans le creux d'une branche. Il ne se déplace que la nuit pour chercher sa nourriture. Il s'accroche aux branches à l'aide de ses griffes et de sa queue. Il se nourrit de feuilles, d'œufs et d'insectes. Seul le mâle a le poil tacheté. Quand il est petit, il est de couleur claire avec des points noirs qui s'élargissent au fur et à mesure qu'il grandit.

La souris à miel sort surtout la nuit ; durant la journée, elle reste bien au chaud dans un ancien nid d'oiseau ou un trou creusé dans une branche.

La taupe marsupiale, au doux pelage clair, mesure entre 10 et 14 cm. Elle vit dans le sable des déserts et se nourrit de larves d'insectes.

LES OISEAUX

L'Australie est surtout le pays aux nombreuses espèces de perroquets à plumage magnifique avec leurs cousins, les cacatoès, moins colorés, mais qui se font remarquer par l'extraordinaire crête de plumes qui se dresse sur le dessus de leur tête. On y trouve d'autres oiseaux étonnants, comme l'oiseau-lyre, avec sa superbe queue et son talent pour imiter le cri des autres oiseaux, ou l'émeu, qui, avec le kangourou, est l'animal qui symbolise le plus la faune australienne.

Les cacatoès

Ce grand cacatoès est blanc avec une huppe jaune sur la tête. Il en existe aussi des noirs et des roses saumonés. Comme les autres perroquets, les cacatoès ont un bec recourbé vers le bas, utile pour broyer les graines les plus dures. Ce bec peut aussi leur servir de troisième patte pour s'agripper aux branches. Ils nichent en général dans le creux d'un arbre et parfois dans des trous de falaise. Ils ont une voix criarde.

Les perruches ▶

Il existe de nombreuses variétés de perruches de couleurs différentes. Celles représentées ci-contre sont appelées « perruches à croupe verte ». La plupart d'entre elles peuvent être élevées en volière. Dans la nature, elles vivent en bandes.

Le casoar

Cousin de l'émeu, il ne court pas très vite, mais, en revanche, il fait des bonds spectaculaires, qui peuvent aller jusqu'à 1,50 m.

Les loriquets

Ces oiseaux au plumage coloré font partie de la grande famille des perroquets. Ils se nourrissent surtout du pollen et du nectar des fleurs. Les loriquets sont bagarreurs. Ils éloignent les autres oiseaux attirés aussi par les fleurs en exécutant des sauts et des danses menaçantes. Si la nourriture n'est pas suffisante, ils ne sont pas farouches ; ils n'hésitent pas à faire un petit tour en ville, pour dénicher dans les mangeoires, la nourriture installée pour eux...

Le casoar peut peser jusqu'à 185 kg.

◄ Le diamant de Gould

À cause de la beauté de son plumage, ce bel oiseau a longtemps été capturé pour être mis dans des volières. Il est maintenant protégé. Ces oiseaux vivent en bandes ; ils mangent et s'envolent ensemble. Ils se nourrissent surtout de graines.

Le guêpier ►

Cet oiseau mange es abeilles et des guêpes. Il attaque les insectes en vol et avant de les avaler, il les tape sur un objet dur afin qu'ils perdent leur dard.

Le martin-chasseur

Les Australiens aiment cet oiseau car son cri ressemble à un rire humain. C'est pour cela qu'il est appelé « l'oiseau rieur ».

Le grand podarge ►

Le jour, cet oiseau reste immobile sur la cime d'un arbre. Pour échapper à ses ennemis, avec son bébé sur le dos, cette femelle adopte une attitude rigide pour se confondre avec la branche sur laquelle elle est posée.

L'émeu

Très haut sur pattes, ce grand oiseau (1,50 m à 2 m) ne vole pas mais court vite : jusqu'à 50 km/h. On le rencontre dans les plaines semi-désertiques. C'est le mâle qui couve les œufs (entre 5 et 15) et élève les petits. Dès leur éclosion, il chasse les intrus qui s'approchent trop près du nid.

L'oiseau-lyre ►

C'est un oiseau rare. Le mâle a une queue magnifique. Pour séduire sa femelle, il s'en recouvre le dos et étale ses plumes, qui l'enveloppent presque complètement. Ce bel oiseau est capable de reproduire le chant des autres oiseaux et même le cri de quelques mammifères. Il danse aussi de façon étonnante.

13

LA GRANDE BARRIÈRE DE CORAIL

Au large de la côte Est de l'Australie s'étend, sur plus de 2 000 kilomètres de long, la grande barrière de corail. Près de 2500 récifs composent cet étrange édifice, large de 20 à 320 km et vieux de 18 millions d'années. Visible de la lune, cette gigantesque construction composée de plus de 600 îles et îlots peut être franchie à plusieurs endroits. Elle est constituée de plus de 400 espèces de coraux différents parmi lesquels vivent 1 500 sortes de poissons. Cette grande barrière est classée patrimoine mondial de l'humanité.

Comment se forment les coraux ?

Les coraux sont constitués par des milliers d'animaux : les polypes. Un polype ressemble à une poche dont l'ouverture est une bouche ornée d'une couronne de tentacules. Pour protéger ce corps tout mou, le polype se fabrique une enveloppe de calcaire dont s'échappent uniquement ses tentacules lorsqu'il cherche de la nourriture. Tous les polypes d'une même espèce s'unissent en colonie pour former un édifice en colonne, en éventail, en boules... Chaque colonie est un élément de la grande barrière.

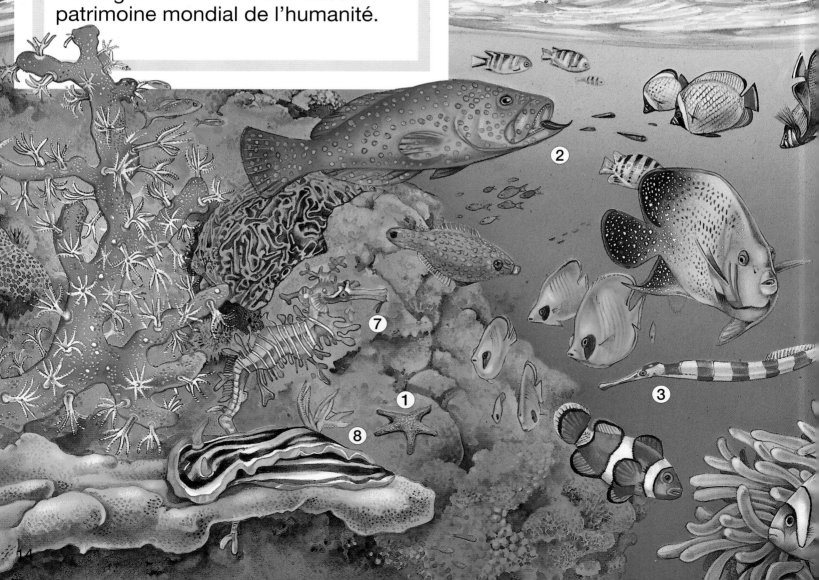

14

Coupe d'un corail.

Quelques animaux de la barrière de corail

La grande barrière de corail est unique au monde. C'est une vraie forteresse, avec des milliers de cachettes, de grottes et de souterrains...

Voici quelques animaux qui vivent dans cette étonnante formation corallienne :
1 - Étoile de mer : elles sont nombreuses et ont de très belles couleurs. 2 - Le mérou-patate avec un petit labre nettoyeur en train de lui laver les dents.
3 - Poisson-pipe. 4 - Seiche. 5 - Poisson-clown dans une anémone. 6 - Limace de mer.
7 - Dragon végétal. 8 - Mollusque sans coquille.
9 - Astérie épineuse : c'est une dévoreuse de coraux, elle peut détruire plus de 1 000 cm² de corail par jour.

DES LÉZARDS

Dragons, geckos et varans sont nombreux en Australie. Les plus gros sont les varans, qui présentent des points communs avec les serpents. Comme eux, leur langue est fendue en deux à son extrémité et ils sont capables d'engloutir de grosses proies. Le varan de Gould, qui est l'un des plus grands lézards du monde, peut même avaler de jeunes kangourous. Les femelles pondent des œufs, en général au fond d'un trou creusé dans un sol meuble et recouvert après la ponte. Après l'éclosion, les petits sont livrés à eux-mêmes.

Le gecko ▶

Ce drôle de lézard épineux mesure environ 30 cm, il chasse la nuit et se nourrit surtout d'insectes.

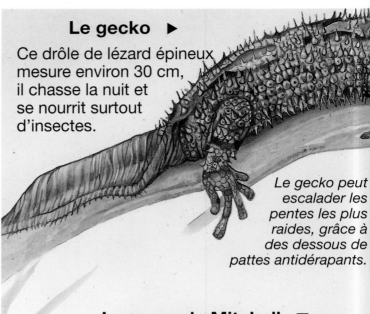

Le gecko peut escalader les pentes les plus raides, grâce à des dessous de pattes antidérapants.

Le varan de Mitchell ▼

Ce lézard vit près des cours d'eau. C'est un très bon nageur qui se nourrit de poisson. Entre deux plongeons, il prend un bain de soleil.

◀ Le dragon volant

Ce dragon, présent dans les forêts, a une tête impressionnante, avec sa poche au niveau du cou et ses épines dressées sur une crête au-dessus de sa tête.

Le diable cornu ▶

Ce lézard d'environ 15 cm vit dans le désert. C'est un redoutable glouton, capable d'engloutir 10 000 fourmis par jour ! Ses épines le protègent de ses ennemis. Pour se désaltérer, il boit la rosée qui se dépose la nuit sur sa peau.

16

Le lézard ▼
à collerette

Quand ce dragon est en colère
ou si un ennemi s'approche de trop, il déploie
sa collerette et se met à souffler, ce qui le rend très
impressionnant ! Long d'environ 1 m avec sa queue, il vit
dans les forêts d'eucalyptus et se déplace
à toute vitesse dans les arbres.

Le varan de Gould

Ce lézard qui mesure plus
de 2 m se dresse sur ses
pattes arrière lorsqu'un
ennemi survient ou
qu'un rival convoite
la même femelle.
À la saison des
amours, les
combats sont
fréquents. Il vit
dans les zones
désertiques.

CROCODILE, PYTHON, MYGALE

Ces animaux fascinent les hommes qui les craignent. Le crocodile a été longtemps vénéré et considéré comme un dieu par les Aborigènes, les premiers habitants de l'Australie. Il vit dans le nord, dans les régions de mangrove où il aime se vautrer dans la boue. Paresseux, il n'aime pas beaucoup bouger, même s'il a faim. Il a des réserves de graisse qui lui permettent de tenir sans manger pendant des semaines. Il préfère en général attendre que ses proies « viennent » à lui.

La mygale d'Australie

Cette araignée vit dans un terrier dont elle tapisse les parois de fils de soie. Quand elle attaque une proie, elle lui injecte du poison pour l'immobiliser. Puis, à l'aide de sucs digestifs qu'elle régurgite, elle réduit l'animal en une sorte de bouillie, afin de pouvoir l'avaler. Ce travail lui demande des heures.

Les bébés crocodiles

La femelle dépose ses œufs blancs dans une sorte de puits de 40 cm de profondeur, puis elle les recouvre de terre. L'incubation dure environ 3 mois. Quand les bébés sont prêts à sortir, ils se mettent à grogner pour appeler leur maman, qui les aide à quitter leur coquille et les emmène dans sa gueule jusqu'à l'eau, où ils se mettent tout de suite à nager.

Une machine à tuer

Le crocodile passe beaucoup de temps à l'affût, immobile dans l'eau, laissant apparaître ses gros yeux au ras des flots. Il fixe les berges. Si une proie s'aventure près du bord, il s'approche sans faire de bruit et se propulse comme une flèche hors de l'eau, son énorme gueule grande ouverte.

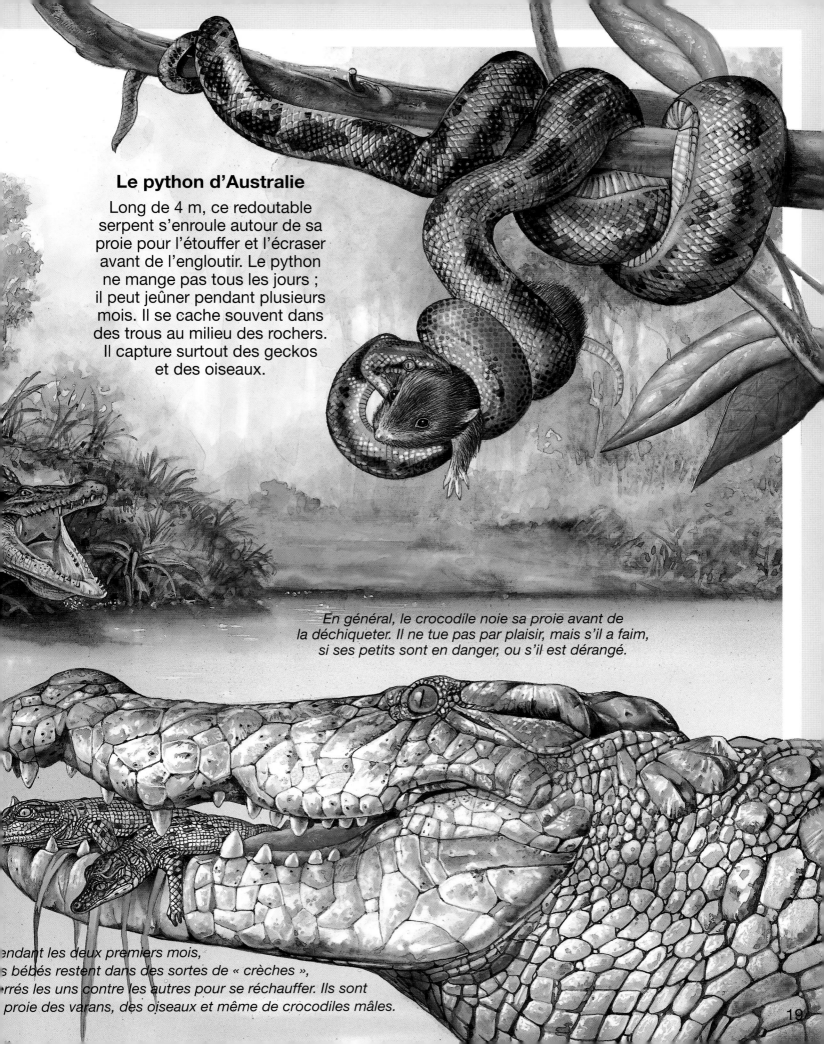

Le python d'Australie

Long de 4 m, ce redoutable serpent s'enroule autour de sa proie pour l'étouffer et l'écraser avant de l'engloutir. Le python ne mange pas tous les jours ; il peut jeûner pendant plusieurs mois. Il se cache souvent dans des trous au milieu des rochers. Il capture surtout des geckos et des oiseaux.

En général, le crocodile noie sa proie avant de la déchiqueter. Il ne tue pas par plaisir, mais s'il a faim, si ses petits sont en danger, ou s'il est dérangé.

...endant les deux premiers mois, ...s bébés restent dans des sortes de « crèches », ...rrés les uns contre les autres pour se réchauffer. Ils sont ...proie des varans, des oiseaux et même de crocodiles mâles.

DES MAMMIFÈRES QUI PONDENT DES ŒUFS

L'échidné et l'ornithorynque, bien qu'ils ne se ressemblent pas, ont un point commun : ce sont des mammifères qui pondent des œufs. L'ornithorynque, très étonnant avec son bec de canard et sa queue de castor, vit surtout dans l'eau. C'est un excellent nageur qui peut rester 5 minutes sous l'eau sans respirer. L'échidné ressemble à une sorte de gros hérisson. C'est un animal solitaire, qui se cache dans le creux des arbres ou sous des feuilles.

Un terrier pour les bébés

La femelle ornithorynque creuse un terrier en s'aidant de ses pattes. Long d'environ 30 m, celui-ci est construit dans les berges. L'entrée, normalement située au-dessus du niveau de l'eau, est bouchée avec de la boue. Bien au chaud au fond du terrier, les bébés ornithorynques peuvent grandir à l'abri de leurs ennemis, python, crocodile, aigle... À chaque sortie, la femelle referme son terrier.

Longueur du corps : 40 à 60 cm.
Bec : environ 6 cm.
Queue : 10 à 15 cm.

Un remarquable nageur

L'ornithorynque ne nage pas comme le castor ; il n'avance pas en faisant onduler son corps et en bougeant ses pattes et sa queue. Il ne se sert que de ses pattes avant, armées de longs doigts puissants et palmés comme ceux des canards. Il fouille le fond de la rivière et retourne les pierres, à la recherche de crevettes et de larves d'insectes. Il entasse la nourriture dans ses bajoues et la mâche lorsqu'il est en surface. Il utilise son long bec, constitué d'une peau épaisse, comme organe du toucher. Sous l'eau, ses yeux et ses oreilles sont recouverts par un repli de peau.

Une queue bien utile

C'est un vrai garde-manger qui contient de la graisse dans laquelle l'animal puise quand il ne trouve rien pour se nourrir. C'est aussi une source de chaleur. Quand il fait froid, l'ornithorynque s'enroule dedans et la femelle en enveloppe ses œufs.

L'ornithorynque possède, sur la face interne de ses pattes arrière, un éperon venimeux. En cas de piqûre, le poison provoque une douleur atroce chez l'homme et peut même tuer un chien.

Des petits nus et aveugles

La femelle ornithorynque aménage au fond du terrier une chambre qu'elle tapisse d'herbes. Elle pond 2 ou 3 œufs, pas plus gros que des grains de raisin, qu'elle couve avec sa queue. Les petits, de 2 cm environ, naissent au bout de 7 à 15 jours, sans poils et aveugles. Ils se nourrissent de lait qui suinte du pelage de leur mère et ne sortiront du terrier qu'au bout de 4 mois.

◀ L'échidné

Son corps est recouvert de longs piquants plantés dans une fourrure épaisse. Il a de petits yeux saillants et un long museau étroit non recouvert de poils. Son ouïe est très développée et il repère ses ennemis bien avant de les voir. Quand il se sent en danger, il creuse en quelques secondes un trou profond dans le sol et s'y installe pour protéger son ventre, ne laissant apparaître qu'une boule de piquants hérissés. L'échidné vit surtout là où il y a des fourmis et des termites, dont il raffole.

D'AUTRES ANIMAUX

Le dingo

Ce chien sauvage qui descend du chien domestique se rencontre dans les plaines australiennes. Les dingos se regroupent en bandes pour attaquer les kangourous, qui sont leur proie principale. Ils n'aboient pas, ils hurlent.

Le bandicoot-lapin

Cet étrange animal, qui fait environ 45 cm de long, a des oreilles de lapin, mais saute et se reproduit comme les kangourous puisqu'il appartient à la famille des marsupiaux. Il ne supporte pas la chaleur : après une exposition au soleil de plus de 10 minutes, il commence à se sentir mal. La journée, il reste sous la terre dans des terriers. La femelle met bas entre 1 et 5 petits qui sont minuscules (environ 10 mm). Ils restent accrochés à la tétine située dans sa poche marsupiale pendant près de 30 jours. Le bandicoot-lapin est menacé par les pièges et les poisons que les hommes disposent un peu partout pour se débarrasser des lapins, qui sont un véritable fléau en Australie.

Le dingo peut mesurer jusqu'à 90 cm de long.

Le wombat ▶

Avec sa silhouette toute ronde, ce marsupial ressemble à un ourson. Comme le bandicoot-lapin, il vit dans un vaste terrier car il ne supporte pas la chaleur. Il sort la nuit pour chercher sa nourriture, composée de racines, d'écorces, et surtout d'herbes. Malgré son allure massive, il est vif et capable de courir très vite sur de courtes distances.

Le rat-kangourou de Lesueur ▶

Malgré sa petite taille (45 cm de long, dont la moitié pour la queue), cet animal est de la même famille que les grands kangourous. C'est un marsupial. C'est une espèce menacée, alors que jadis, ils étaient présents partout en Australie. Il mange des racines, des graines, des fruits et, à l'occasion, des termites. Il se cache souvent au fond de différents terriers.

Le crapaud-citerne ▼

Pas très grand, environ 8 cm, ce crapaud a la particularité de stocker l'eau. Il ne boit jamais, mais il fait des réserves. Il absorbe l'eau par sa peau et la retient, soit dans sa vessie, soit directement sous la peau dans des espèces de sacs. En période de sécheresse, il s'enterre jusqu'à 1 m de profondeur. Il reste ainsi plusieurs mois à vivre au ralenti grâce à ses réserves d'eau, en attendant le retour des pluies.

LES ANIMAUX DE TASMANIE

La Tasmanie est une île de 68 000 km² située au sud-est de l'Australie. Elle fut découverte en 1642 par un navigateur néerlandais nommé Tasman. Le climat y est tempéré et humide et sa végétation dense abrite de nombreuses espèces d'animaux. Autrefois, cette île était rattachée à l'Australie, ce qui explique que certains animaux sont présents aux deux endroits. Par exemple, des restes fossilisés du diable de Tasmanie ont été découverts en Australie. Il y aurait vécu il y a 15 000 ans, mais il n'en subsiste plus aujourd'hui.

Le chat marsupial

Très agile, c'est un terrible chasseur qui vit surtout dans les arbres. Ce n'est pas un chat, son nom lui a été donné par les premiers colons à cause de son aspect de félin. Il se nourrit de limaces, de lézards et de petits rongeurs. La taille d'un chat marsupial varie de 30 à 100 cm selon les espèces...

Le diable de Tasmanie doit aussi son nom à son cri vraiment sinistre et à sa couleur sombre qui ne fait qu'accentuer la peur qu'il inspire.

Le serpent à tête cuivrée

De couleur brun cuivré, ce serpent est présent près des points d'eau car il se régale de grenouilles. Il mesure environ 1,50 m de long.

Le diable de Tasmanie

C'est un marsupial carnivore. Il se nourrit en général d'animaux déjà morts. Long de 70 cm, il ressemble à un gros ourson. Il doit son nom à son impressionnante mâchoire, qu'il ouvre quand un ennemi s'approche, faisant apparaître une belle rangée de dents pointues. Grâce à elles, il broie les os de ses proies, qu'il dévore sans en laisser la moindre miette.

Le loup de Tasmanie

Accusé vers 1850 d'avoir tué de nombreux moutons,
le loup de Tasmanie est devenu l'ennemi à abattre.
En vingt ans, plus de 2 000 loups ont été abattus.
Depuis, il a été protégé mais malheureusement, sa trace
a disparu. Le loup marsupial a d'abord été appelé
« tigre tasmanien » à cause de ses rayures.

Le kangourou géant
de Tasmanie

Il est plus robuste que
ses cousins australiens
et son pelage est plus
épais et plus long. Il vit
surtout dans la forêt et
s'aventure très peu dans
la plaine, ce qui lui évite
de rencontrer les fermiers,
qui pourraient ne pas
apprécier sa présence
comme en Australie.

Le thylogale

C'est une espèce de kangourou
d'environ 70 cm de haut. Il vit en bandes
dans les broussailles, au milieu
desquelles il se cache.

RÉPARTITION GÉOGRAPHIQUE DES ANIMAUX

Il y a des millions d'années, il n'existait sur la Terre, qu'un seul et même continent appelé « Pangée ». Puis cette gigantesque terre a commencé à se diviser pour donner l'aspect actuel des continents que nous connaissons.

L'Australie s'est retrouvée petit à petit isolée des autres continents et les animaux qui l'habitaient sont devenus prisonniers de l'île. C'est pour cela que l'on y trouve des animaux qui n'existent nulle part ailleurs, comme le kangourou ou le koala.

Les plaines d'Australie, appelées *outback,* occupent plus des deux tiers du continent. De longues périodes de sécheresse succèdent aux pluies et les animaux doivent s'adapter. Pendant les mois les plus chauds, certains animaux restent à l'abri de la chaleur au fond de leur terrier, attendant la nuit pour chercher leur nourriture, tandis que d'autres préfèrent s'endormir sous terre et attendre des jours plus frais. Les forêts du nord-est sont chaudes et humides et abritent une faune importante. Le sud-ouest et le sud-est sont couverts de savanes boisées.

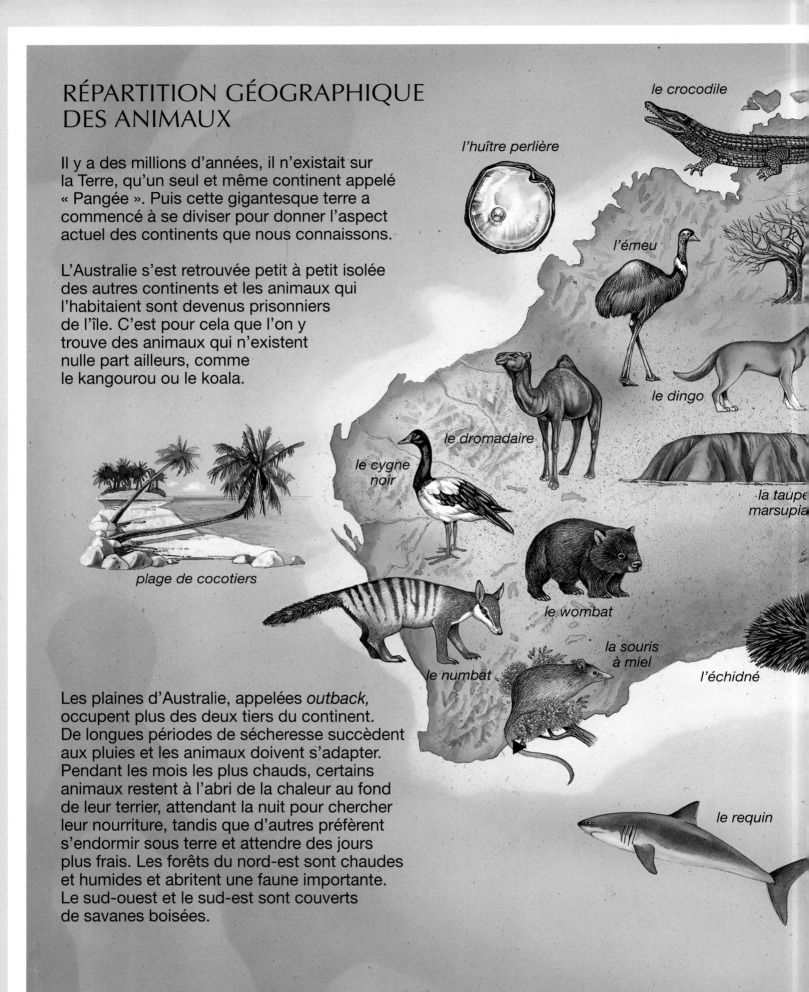

le crocodile

l'huître perlière

l'émeu

le dingo

le dromadaire

le cygne noir

la taupe marsupiale

le wombat

la souris à miel

l'échidné

le numbat

plage de cocotiers

le requin

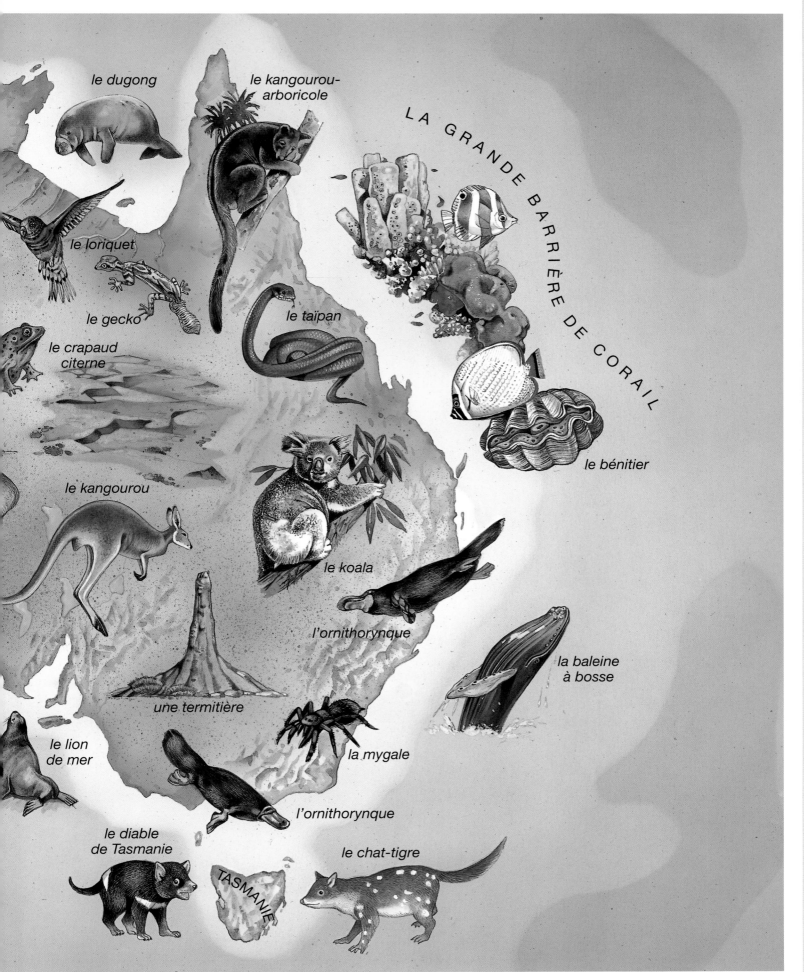

le dugong

le kangourou-arboricole

LA GRANDE BARRIÈRE DE CORAIL

le loriquet

le gecko

le taïpan

le crapaud citerne

le bénitier

le kangourou

le koala

l'ornithorynque

la baleine à bosse

une termitière

la mygale

le lion de mer

l'ornithorynque

le diable de Tasmanie

TASMANIE

le chat-tigre

TABLE DES MATIÈRES

MDS : 292711
ISBN : 978-2-215-06762-7
© Groupe FLEURUS, 2002
Conforme à la loi n°49-956 du 16 juillet 1949
sur les publications destinées à la jeunesse.
Dépôt légal à la date de parution.
Imprimé en Italie (06-10)